Bert Berger
Anneliesje Boterbiesje
Illustraties
Jeska Verstegen

De Vier Windstreken

© 1998 De Vier Windstreken, Voorschoten
Omslag en illustraties Jeska Verstegen
Alle rechten voorbehouden. Printed in Germany
NUGI 221 / ISBN 90 5579 341 8

Bakerrijmpjes & Kinderversjes

Een hemdje van zijde
Een hemdje van katoen
Dit moet je laten
En dat moet je doen

Orie jandorie
Billetjes op de pot
Bloemetjes in je haar
Vind je dat zo raar?

Laat de katjes mauwen
Laat de hondjes blaffen
Laat de koetjes loeien
Laat de schaapjes blaten
Anneke zit te gapen
Anneke moet gaan slapen

Dirk en Durk
Kroontjeskurk
Kroontjespennetje
Haan en hennetje
Ei en dop
Dirk en Durk
Met een hoedje op hun kop

Rolletje, bolletje
Poetskatoen
Wit is wit
En groen is groen
Geef mij een hand
En geef mij een zoen
Je kunt het laten
Je kunt het doen
Rolletje, bolletje
Poetskatoen

Een mutsje voor de regen
Een mutsje voor de kou
Dag meneer
Dag mevrouw

"Te vroeg," zei het hennetje
"Te laat," zei de haan
"Op tijd," zei de kat
En sprong uit het raam

Anneliesje
Boterbiesje
Boterbiesje
Melk en meel
Bloemetjes geel
Bloemetjes blauw
Dit bloemetje
Is voor jou

O Sylvia, o Sylvia
Wat zijn je voetjes klein
Ga je met me dansen
In de maneschijn?
De hond zal op de trommel slaan
De kat die speelt gitaar
En de muis die speelt harmonica
Van hupfalderee
En hupfaldera
Voor .... en voor Sylvia

Appeltjes rood
Appeltjes rond
Aan de boom
Op de grond
In je mandje
In je mond
Appeltjes eten
Is gezond

Hennetje zus, haantje zo
Piccola, piccolo
In het bos daar staat een huis
In dat huis daar woont een muis
En die muis is duizend jaar
Wie dat niet gelooft
Die laat het maar
Piccola, piccolo
Hennetje zus, haantje zo

Koffie in een kannetje
Melk in een pannetje
Thee in een potje
Jij bent een dotje
Jij bent een schat
Kusjes van de hond
En kusjes van de kat

Abba babap
Babap abba
Kita kara
Aja Mara
Aja Mara
Kita kara
Kita kara
Kita kos
Aja mara
Aja mos

Heel en half
Koe en kalf
Kalf en koe
Scheetje boe

Eén half pondje
Kippenkontje
Kop en staart
Pruimentaart
Staart en kop
Hoepel op!

Drie rode kussentjes
Liggen op een rij
Eén is er voor jou
En één is er voor mij
Voor wie het derde kussentje is
Dat weet ik niet meer
Het is voor een dame
Of het is voor een heer

Argeloos mijn kalfje
Vliegensvlug mijn paard
Rode strikjes in zijn manen
Rode strikjes in zijn staart
Krabbegat mijn hennetje
Ridderspoor mijn haan
Als het dag is, schijnt het zonnetje
Als het nacht is, schijnt de maan
Simpelweg mijn varken
Goedgemoed mijn koe
Brood met boter, kaas en melk
En een chocolaatje toe

Een varken heeft twee oren
Twee oren en een staart
En wie niet weet wat een varken is
Die is geen stuiver waard

Kruidje, kruidje roer mij niet
Jan en Piet
Wie kent ze niet?
Pap in de pan
En ieders verdriet
Altijd zingen zij hetzelfde lied
Van rommerdebom
En wiedewiedewiet
Kruidje, kruidje roer mij niet

Dit is Jan
Dat is Piet
En wie daar staat
Dat weet ik niet

Een witte kat
En een zwarte hond
De één zit op de tafel
De ander op de grond

Bolletje, bolletje
Krentenbrood
Ik ben klein
Jij bent groot
Rood, wit, blauw
Blauw, wit, rood
Bolletje, bolletje
Krentenbrood

De één wil dit
De ander dat
De één wil een hond
De ander een kat
Maar wie wil het vogeltje Piet?
Piet zit in een hokje
Piet zit op een stokje
Piet kan zingen
Piet kan springen
Piet is Piet
Wie wil Piet wel
En wie wil Piet niet?

Daar staat Klaas
Daar staat Daan
Daar staat de zon
En daar staat de maan
Dag Klaas
Dag Daan
Dag zon
Dag maan
Kukeleku, zegt de haan
Blijf daar maar staan

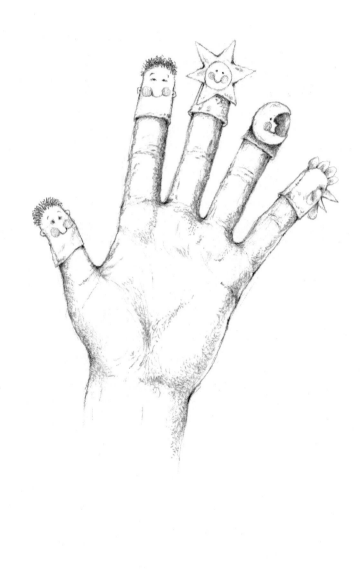

Waar is de koe?
Waar is het schaap?
De koe is in de stal
Het schaap is in de wei
En jij blijft bij mij

Een tartaartje
Klapsigaartje
Dubbeldik
Af ben ik

Daantje
Zonnetje
Sterretje
Maantje
Regen en wind
Zondagskind

Mes en vork
Vork en mes
Vork en lepel
Klok en klepel
Klepel en klok
De haan in het hok
De kat in z'n mand
Welterusten olifant

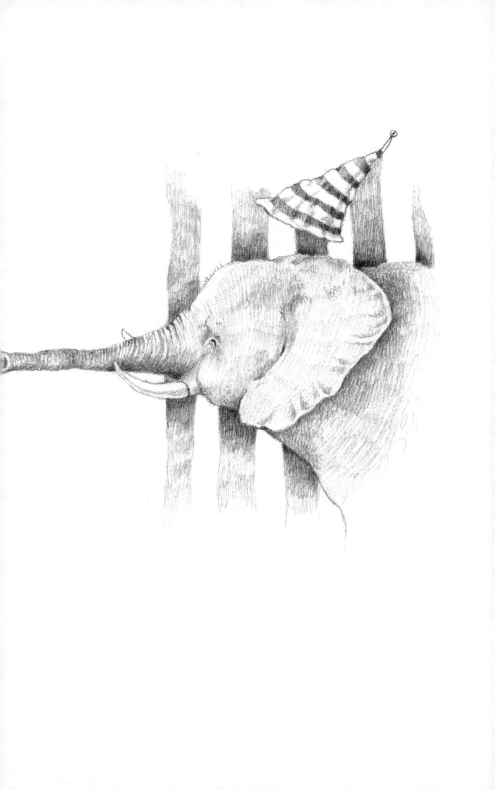